Saguak ibaian egindako ibilaldiaren mapa
D1454688
BASOA
Zuhaitz tunela
Zume kimatuak
Ibaiertzeko etxetxoa
Belardia
Zumezko aterpea
Zubia
Ur gaineko etxea
Esklusa zaintzailearen txabola
HERRIA
Kafetegia
Dendak
Esklusa
Itsasontziko etxea
Zuhaitzeko etxea
Uharteko kanpalekua
Lekazdiak
Hondartzako etxola
Estuarioa
Itsasargia
Hondartza
ITSASOA

Saguaren
bidaia ibaian behera

ALICE MELVIN

Testua William Snow

Florencerentzat eta Hannahrentzat,
maitasunez, amaren eta aitaren partez.

Itzultzailea: Amets Santxez Munain (Bakun S.L.)

Jatorrizko titulua: *Mouse on the River. A Journey Through Nature*
Lehen aldiz Erresuma Batuan argitaratua
Thames & Hudson Ltd-ren eskutik, 2024an

ISBNa: 978-84-1370-499-9
LG BI 1231-2023

Txinan inprimatua

IBAIZABAL

Goizaldeko lehen argiarekin
abiatu naiz basotik.
Lagunek agur esan didate
ibaiertzeko etxetik.

Ibaian behera arraunean,
banoa zuhaitz artean.
Txorrotxioak eta uda usaina
nagusi dira airean.

Arraunean ikustean, haurrak
gelditu dira begira.
Ibaian behera nondik nora
noan galdezka hasi dira.

Zubi azpitik igaro eta
basoa utzi dut atzean.
Orain zer aurkituko ote dut?
Zer ote dago aurrean?

BASOA
HERRIA

Ibaiertzak jendez bete dira.
Baina ni aurrera noa.
Etxeak daude alde bietan;
jada ez da ikusten basoa.

Herriko esklusa
Herriko esklusa
6

6

Eguerdian, herrira iristean,
esklusaren zaintzaileak
biraderari eragin, eta
behera egin du urak.

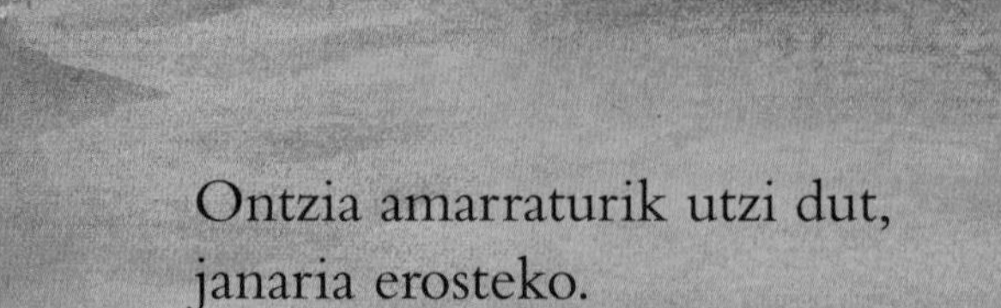

Ontzia amarraturik utzi dut,
janaria erosteko.

Usain eta hots asko daude,
eta gauza ugari ikusteko!

Ilunsentian, herritik joan naiz,
euripean arraunean,
euri tantak plisti eta plasta
ibaiaren azalean.

Uharte txiki bat aurkitu dut,
deskantsatzeko eta jateko.
Manta artean goxo bilduta,
laster geratu naiz seko.

Egunsentian, abiatu naiz
ibaian behera berriro.
Eguzki izpi eta laino artean,
aurrera noa leunkiro.

Itsas txoriak hegan dabiltza.
Hemen zabala da ibaia.
Gatzaren usaina nabari da,
baita ere itsasaldia.

Ibai ahora ailegatzean,
bukatu da ibilbidea.

Ontzia utzi eta agurtu dut
nire adiskide maitea.

Ibaian behera

kaio hauskara

Liburu honetan, sagua bere etxetik –alegia, basotik– itsasora itsasontziz nola joan den ikusi dugu. Hona hemen liburu honetako orrialdeetan aurkitu ditzakezun gauzetako batzuk. Ibaira joaten zaren hurrengo aldian, egon adi, ea ikusten dituzun!

basahatea bere kumeekin

ibaiko uretako fauna aztertzeko tresnak

Ibaia

Euri urak, iturburuetako urak eta erreketako urak bat egin, eta ibaia eratzen dute. Itsasorako bidean, ibaia etengabe aldatzen da, zeharkatzen duen paisaiaren eraginez. Ibaiaren tarte bakoitzean, makina bat animalia eta landare desberdin dago. Hori dela eta, ibaiertzean ibiliz gero, hamaika ezusteko izango dituzu.

Ibaiko uretako fauna aztertzea

Ibaiko uretako fauna aztertzea zirraragarria izan daiteke! Bilatu sakonera txikiko leku bat, harrizko hondoa duena. Ibili tentuz eta eskatu heldu bati zure alboan egoteko, zure segurtasunerako! Sartu sare bat edo bahe bat uretan, ur lasterraren kontra. Hustu ontzi batean, zer topatu duzun ikusteko. Gogoratu fauna kontu handiz zaindu behar dugula! Topatutakoa aztertu ondoren, itzuli bere bizilekura; hau da, ibaira.

kastorea

arraintxoak

lirio horia

lezka

Arrainak

Ibaietan, askotariko arrainak bizi dira, bai txikiak, bai handiak (lutxo erraldoiak, kasu). Ibai bakoitzean, arrain mota jakin batzuk bizi dira. Arrain batzuek, hala nola amuarrainek, ur laster azkarrak eta harrizko ibilguak behar dituzte. Beste batzuk, berriz, hala nola errutiloak, ibaiaren tarte geldoetan bizi dira.

Landareak

Begiratu arretaz! Ea ikusten dituzun lirio horiaren kolore biziko loreak, lezkaren hazi buruak eta igebelarraren hosto handiak. Ur korronte geldoko ibaietan, beharbada, urbelarra eta zenbait ur landare ikusiko dituzu urpean. Igebelarraren hostoak eta loreak ibaiaren ur azalean egoten dira. Goroldioek, hepatikoek eta iratzeek hamaika tonu berdez estaltzen dituzte ibaiertzak.

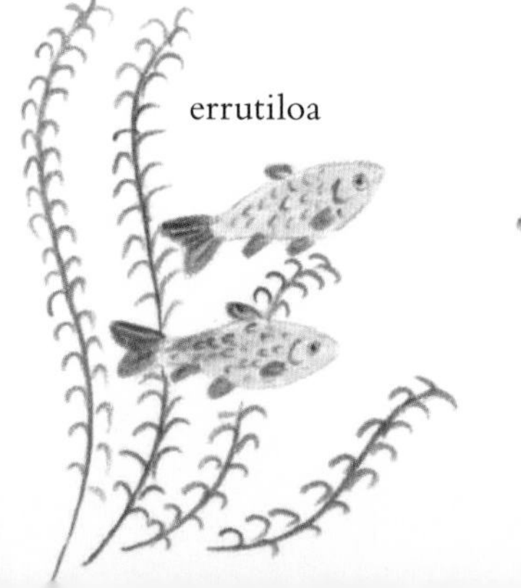
errutiloa

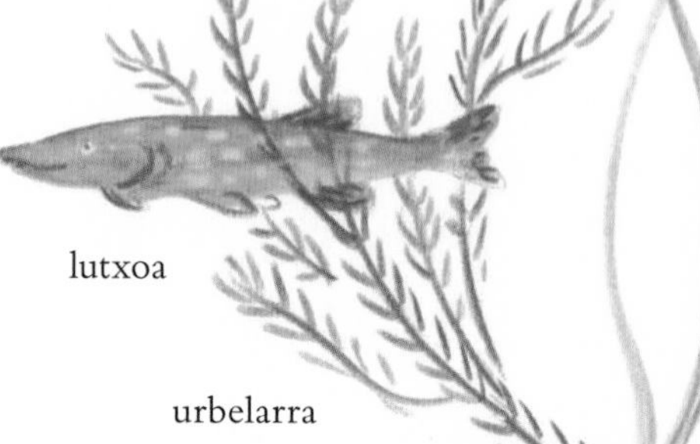
lutxoa

urbelarra

igebelar horia

igebelarra

Estuarioak

Ibaiak itsasoarekin bat egiten duen lekua da estuarioa. Bertan, ibaiko ur geza itsasoko ur gaziarekin nahasten da. Uraren maila igo eta jaitsi egiten da, itsasaldien eraginez. Begiratu arretaz! Ea ikusten dituzun itsas mikak, ubarroiak eta kaioak. Itsas mikek moko laranja bizia dute, ubarroiak hegoak zabal-zabalik egoten dira, eta kaioak zeruan hegan ibiltzen dira.

itsas mika

ubarroia

ur kakalardoa

Lezkadiak

Ibai eta estuario batzuen ertzetan, lezkadiak egoten dira. Lezka bi metrotaraino haz daiteke, eta ur gainean landare sail itxiak eratzen ditu. Lezkadietan, hegazti ugari bizi dira ezkutuan. Txori zezenak isilka mugitzen dira landare artean, baina udaberrian, haien dei karrankari sakonak kilometro eta erditik entzuten dira. Lezkari arruntek kikara itxurako habia politak egiten dituzte landareen artean zintzilik.

lezkari arrunta eta haren habia

txori zezena

igaraba eta haren oinatzak

Intsektuak

Egun eguzkitsu beroetan, burruntziak eta sorgin-orratzak ikus ditzakegu. Kolore ederreko intsektu horiek airean geldi egoten dira, eta bat-batean, janari bila joaten dira, ziztu bizian joan ere. Ur korronte geldoko ibaietan, ur kakalardoak eta uretako txaluspariak egon ohi dira ur azal gainean hara eta hona.

sorgin-orratza

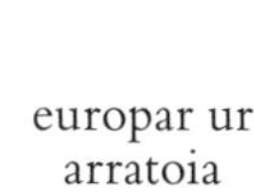
europar ur arratoia

Ugaztunak

Animalia asko joaten dira ibaietara edatera eta janari bila, baina animalia batzuk bertan bizi dira. Igarabak igerilari apartak dira. Zaila izan daiteke igarabak ikustea, baina haien bost behatzeko oinatzak lokatzetan ikus ditzakezu. Kastoreek presak eraikitzen dituzte, eta, hala, ibaien forma aldatzen dute. Jendeak, maiz, arratoitzat hartzen ditu ur arratoiak, baina ur arratoiek mutur laburragoa eta biribila dute, eta buztan iletsua. Begiratu arretaz! Ea aurkitzen dituzun haien gordelekuak ur korronte geldoko ibaien ertzetan.

kopetazuria

uroiloa

martin arrantzalea

haltzaren adarra

zume kimatua

Hegaztiak

Basahateak, uroiloak eta kopetazuriak maiz ikus ditzakegu ibaietan. Martin arrantzaleak ikustea zailagoa da: geldi-geldi egoten dira adar baten gainean, eta halako batean, uretan murgiltzen dira, bat-bateko distira urdin batez. Koartza hegazti handi bat da: sakonera txikiko uretan egoten da, pazientzia handiz, janaria bere ondotik igerian noiz pasatuko zain. Ibaien inguruan, txori txiki ugari ere egoten dira. Ea ikusten dituzun buztanikara zuria eta ipar kaskabeltza!

Zuhaitzak

Zuhaitzek babesa ematen diete ibaiertzeko animaliei, eta gerizpea ere ematen dute, ura fresko mantentzeko. Zuhaitzen sustrai sendoek tinko heltzen diote ibaiertzari. Zuhaitz batzuei, hala nola haltzei, zumeei eta urkiei, lur hezeetan haztea gustatzen zaie. Zumeak oso azkar hazten dira, eta moztu egin daitezke tarteka; hartara, zurtoin berriak hazten dira enborretik. Horri kimatzea esaten zaio. Moztutako adarrak saskiak eta hesiak egiteko erabil daitezke.

koartza

buztanikara zuria

ipar kaskabeltza

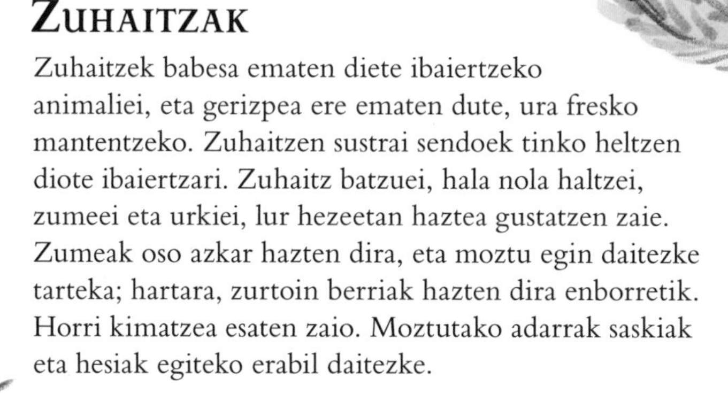

zumearen adarra

zumezko saskiak

Saguak bidaiarako eramandako gauzak